PLANTU

Le petit ÉCOLOGISTE *illustré*

SEUIL

DU MÊME AUTEUR

Pauvres chéris *Centurion, 1978*
La Démocratie ? Parlons-en ! *Éditions Alain Moreau, 1979*
Les cours du caoutchouc sont trop élastiques *La Découverte, 1982 et « Folio » n° 2268*
C'est le goulag ! *La Découverte-Le Monde, 1983 et « Folio » n° 1966*
Politic Look *Centurion, album de BD, 1984*
Pas nette, la planète ! *La Découverte-Le Monde, 1984 et « Folio » n° 2271*
Bonne Année pour tous *La Découverte-Le Monde, 1985*
Ça manque de femmes ! *La Découverte-Le Monde, 1986 et « Folio » n° 2269*
À la soupe ! *La Découverte-Le Monde, 1987 et Seuil « Points Actuels » n° 86*
Wolfgang, tu feras informatique ! *La Découverte-Le Monde, 1988 et « Folio » n° 2272*
Ouverture en bémol *La Découverte-Le Monde, 1988 et « Folio » n° 2270*
Des fourmis dans les jambes *La Découverte-Le Monde, 1989 et « Folio » n° 2273*
C'est la lutte finale *La Découverte-Le Monde, 1990*
Un vague souvenir *Le Monde-Éditions, 1990*
Reproche-Orient *Le Monde-Éditions, 1991*
Le Président hip hop ! *Le Monde-Éditions, 1991*
Le douanier se fait la malle *Le Monde-Éditions, 1992*
Ici Maaaastricht ! Les Européens parlent aux Européens *Le Monde-Éditions, 1992*
Cohabitation à l'eau de rose *Le Monde-Éditions, 1993*
Le pire est derrière nous *Le Monde-Éditions, 1994*
Le Petit Chirac illustré et le Petit Balladur illustré *Seuil, 1995*
Le Petit Socialiste illustré *Seuil, 1995*
Le Petit Raciste illustré *Seuil, 1995*
Le Petit Communiste illustré *Seuil, 1995*
Le Petit Mitterrand illustré *1re édition, Seuil, 1995 et 2e édition augmentée, « Points » n° 271*
Magic Chirac *Le Monde-Éditions, 1995*
Les Années vaches folles *Le Monde-Éditions, 1996*
Pas de photos ! *Le Monde-Éditions, 1997*
La France dopée *Seuil, 1998*
Le Petit Juge illustré *Seuil, 1999*
L'Année Plantu 1999 *Seuil, 1999*
Cassettes, mensonges et vidéos *Seuil, 2000*
Wanted *Seuil, 2001*

Maquette et réalisation : Jean-Luc Simonin, Cursives
Assistante de rédaction : Brigitte Rocquin
À l'exception des souris et des brouillons, les dessins de ce recueil
ont été publiés dans *Le Monde* et *L'Express*.

ISBN : 2-02-052409-0

www.seuil.com

Après nous, le déluge ?

CES MESSIEURS DE LA TABLE G7 ANNULENT VOTRE DETTE ET VOUS OFFRENT UN COCA !
JE ME DISAIS BIEN QU'IL Y AVAIT UN PIEGE !
PLANTU

COBALT
NICKEL
PETROLE

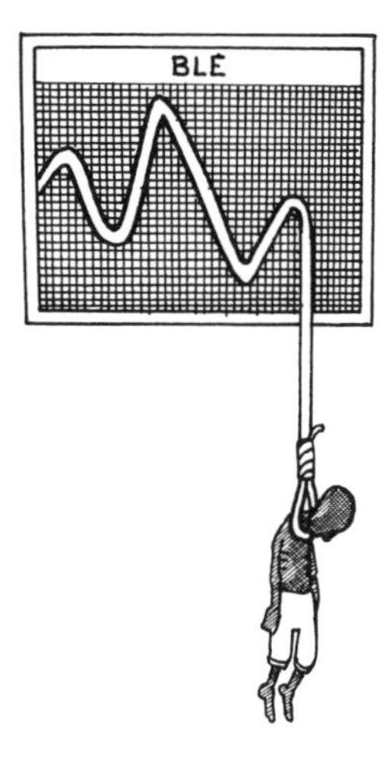
BLÉ

C'EST UNE CATASTROPHE !!!
IL Y A TROP DE BLÉ !

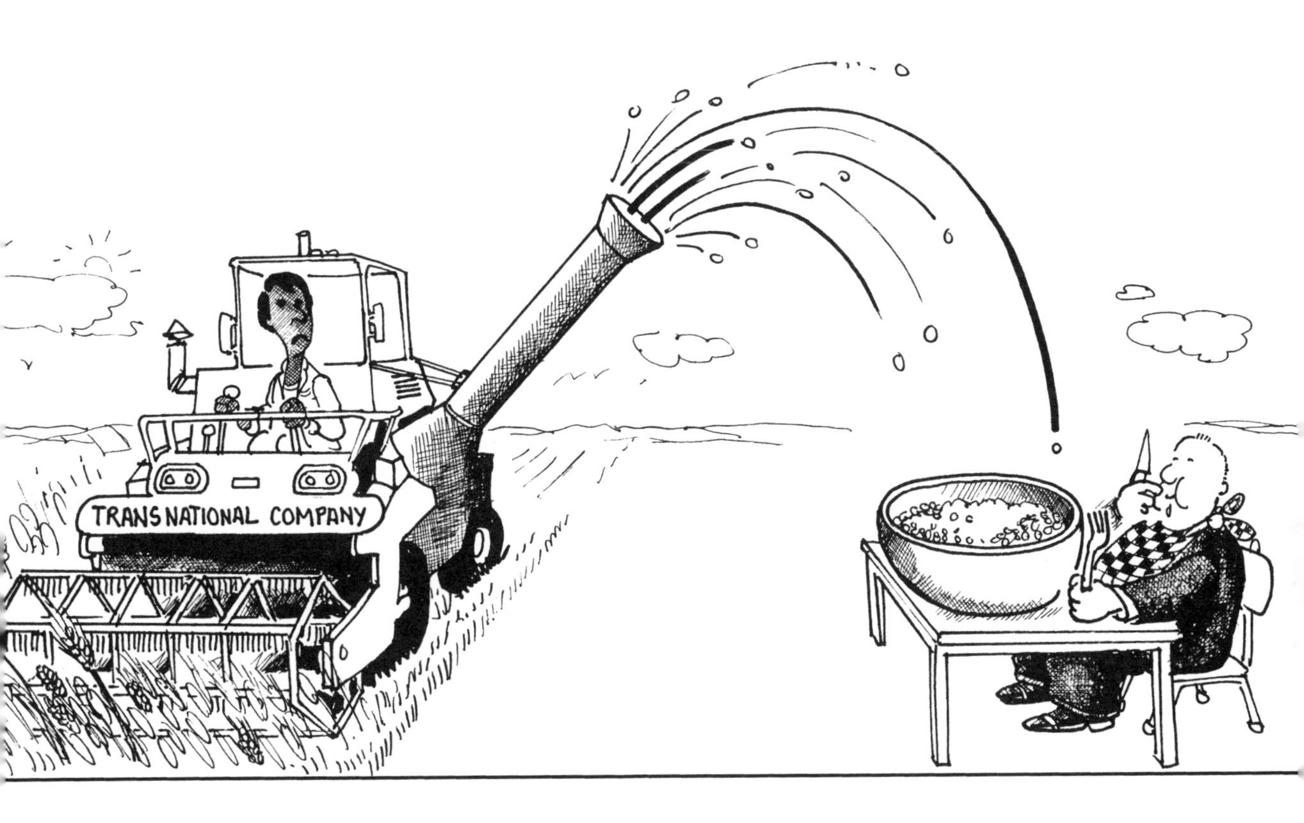
TRANSNATIONAL COMPANY

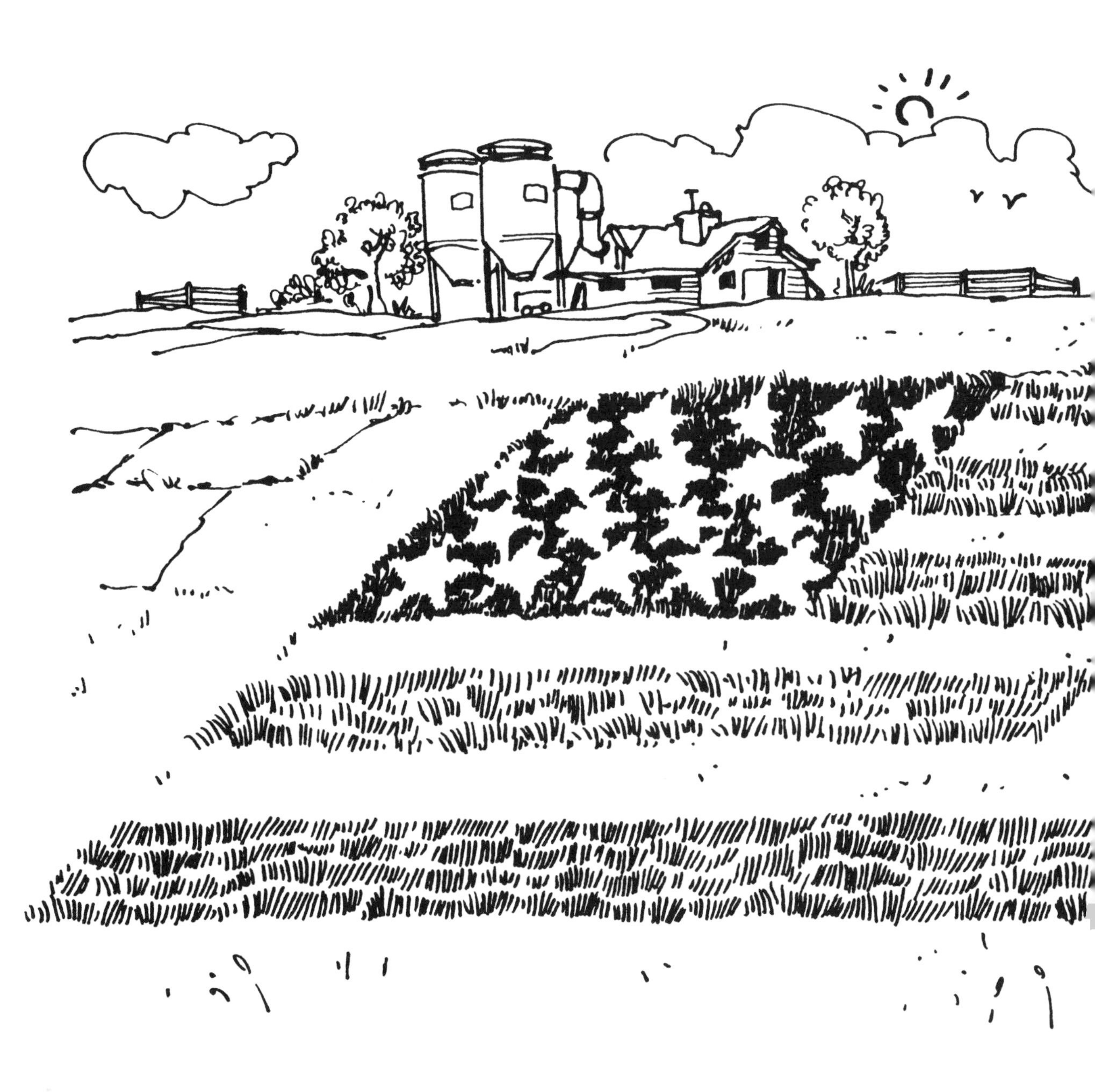

ET ÇA SERT À ÉLOIGNER QUOI ?
LES SUBVENTIONS !

BON, ALORS ??..
QU'EST-CE QUE JE SÈME ?
UNE SECONDE !... LES DOUZE VIENNENT DE S'ASSEOIR AUTOUR DE LA TABLE !
PLANTU

Piège à touristes
ALORS, ILS ONT DE LA FARINE DE BOEUF AVEC DES CHOUX DE BRUXELLES !
ÇA SENT L'ARNAQUE !
Menu
PLANTU

LE VOLET AGRICOLE DU SOUTIEN RÉDUCTIONNEL SERA BASÉ SUR LA MARGE DU COEFFICIENT DE SUPPORTABILITÉ COMMUNAUTAIRE !
EN GROS : MAINTENANT, VOUS VOUS DÉMERDEZ TOUT SEULS !

MAIS OÙ ILS VONT CHERCHER TOUTE CETTE VIOLENCE ?
MINISTÈRE
ABATTOIR
PLANTU

ET MOI, JE VOUS DIS QUE ÇA VAUT À PEINE 3,5 EUROS LE QUINTAL ! ET JE M'Y CONNAIS EN POIREAUX !
BRUXELLES

LE XXIe SIÈCLE SERA TRANSGÉNIQUE OU NE SERA PAS !
À BAS L'OMC !
PLANTU

moisson essentielle
ATTAC
FMI
OMC
G8

mondialisation
ET SI ON FUSIONNAIT ROQUEFORT AVEC MICROSOFT ?!
FAUT EN PARLER À JOSÉ !
ROQUEFORT

DÉCEMBRE 1999
JOSÉ BOVÉ À SEATTLE

J'AI MÊME RÊVÉ CETTE NUIT QUE VOUS ME REFILIEZ DU MAÏS TRANSGÉNIQUE !
ARRÊTEZ DE RESSASSER, VOUS VOUS FAÎTES DU MAL !
FMi
PLANTU

VIRUS ILOVEYOU

VOUS, FAUT ÉVACUER : ON A TROUVÉ DES TRACES D'OGM !
RAVE PARTY
?

OGM
PLANTU

La vache qui pleure
PLANTU

PLANTU

LE KGB INFILTRAIT LE GOUVERNEMENT FRANÇAIS !
Charles HERNU
DES RWANDAIS SE SONT INFILTRÉS AU ZAÏRE : 200 MORTS !
DES VACHES FOLLES ANGLAISES SE SERAIENT INFILTRÉES DANS NOS ASSIETTES !!
ARGH !

S'il vous plaît, dessine-moi... heu... de la gélatine !
PFF !
d'après SAINT-EXUPERY
PLANTU

1996
LES ANNÉES VACHES FOLLES
SCÉNARISTE
PRODUCTEUR
EUROPE
“Psychose”
Le retour d'Hitchcock.
PLANTU

George Sand
La Mare au diable
JE TE DIS QU'IL Y A DU NITRATE !

IL A UNE TRAÇABILITÉ TRANSGÉNIQUE TROP MARQUÉE ET UNE BIODIVERSITÉ GLOBALE APPAUVRIE ! BREF : IL A TOUT VOMI !
PLANTU

HEUREUSEMENT, CE N'EST PAS DE LA FARINE ANIMALE !
AH! JE RESPIRE !
PLANTU

?
?
?
PLANTU

ATMOSPHÈRE ? ATMOSPHÈRE ?... EST-CE QUE J'AI UNE GUEULE D'ATMOSPHÈRE ?

DIOXINE
TU TE RENDS COMPTE ! IL SE BALADAIT AVEC ÇA DANS SA POCHE !
C'EST FOU !!

FÉVRIER 90
DU BENZÈNE DANS LE PERRIER !!

CHEF !
ON A TROUVÉ DES
TRACES DE PERRIER !!
SI "QUE CHOISIR ?" APPREND ÇA,
ON EST FOUTUS !!!

ALORS? CES VACANCES À NICE?
ALORS? CES VACANCES À PARIS?
PLANTU

CLONES ?
VROUM !

NON : PARISIENS !

TABAC

AH!
C'EST PAS LE SIDA ?!!
VOUS ME SOULAGEZ
DOCTEUR !
PLANTU

MARS 1990
LOI
ANTI-
TABAC

J'ESPÈRE QUE MON DÉCRET NE VOUS DÉRANGE PAS !...
MINISTÈRE DE LA SANTÉ

JE VEUX ÊTRE INDEMNISÉ !!!
CESSEZ DE GUEULER COMME ÇA, VOUS REJETEZ DES POUSSIÈRES D'AMIANTE !
RF
PLANTU

JUSSIEU
C'EST VOUS L'ARCHITECTE DE CETTE MERDE ?
C'EST PAS DE MA FAUTE ! J'AVAIS DE L'AMIANTE DANS LES YEUX !
JUILLET 1996
DE L'AMIANTE À LA FACULTÉ DE JUSSIEU !

VOILÀ : IL A LE CHOIX ENTRE MANGER DU MAÏS TRANSGÉNIQUE ET RESPIRER DE LA DIOXINE MAZOUTÉE, ET MONSIEUR RÂLE !
TSSS !

DÉCEMBRE 99
TEMPÊTE ET INONDATIONS EN FRANCE.

"LES OISEAUX" D'HITCHCOCK, À CÔTÉ, ÇA FAIT UN PEU WALT DISNEY !
PLANTU

SYNDICAT D'INITIATIVE

NE TE BAIGNE PAS DANS LA MER, C'EST DANGEREUX !
DIS DONC ! T'ES SÛR QU'ELLES SONT FOLLES ?

Prévisions
PAS DE PROBLÈME : ÇA N'ATTEINDRA JAMAIS LA CÔTE !
POURQUOI PAS UN OURAGAN EN ÎLE-DE-FRANCE PENDANT QUE VOUS Y ÊTES !
PLANTU

LES BÉNEFS ET LES STOCK-OPTIONS D'ABORD !
TOTAL
PLANTU

PLUS TARD, FISTON, TOUT ÇA SERA À TOI !
DÉCONNE PAS, PAPA !
ELF
PLANTU

Progrès techniques
ÉRIKA
J'AI PU PRÉVENIR TOUT LE MONDE QUE CE SERAIT COMME L'AMOCO CADIZ EN 78 !
HEUREUSEMENT QUE J'AVAIS MON PORTABLE !
ÉRIKA

JANVIER 2000
NAUFRAGE DE L'ÉRIKA

E
PLANTU

DÉCEMBRE 97
LES AMÉRICAINS REFUSENT DE RÉDUIRE LEURS ÉMISSIONS DE GAZ À EFFET DE SERRE.

VOTRE PATRON PROPOSE UN ARRANGEMENT À L'AMIABLE !
C'EST PAS MON PATRON, ET EN PLUS, IL ME DOIT TOUT !!
PRUD'HOMMES
PLANTU

SAUVONS LA TERRE
MÊME LES DISCOURS SONT FUMEUX !

SAUVONS LA TERRE
ÇA ME RAPPELLE CANCUN EN 81 !
AH ! OUI !... LE SOMMET QUI DEVAIT SAUVER LE TIERS-MONDE !

Buenos Aires
SI LA FUMÉE VOUS DÉRANGE, VOUS ME LE DITES !
ELLE ME DÉRANGE !!
SI LA FUMÉE VOUS DÉRANGE, VOUS ME LE DITES !
PLANTU

Conférence de LA HAYE
J'AI BIEN PEUR QUE LES DISCOURS NE SOIENT QUE DU VENT !!
CLIMATS

LA SITUATION EST GRAVE, MAIS NOUS FERONS LE MOINS POSSIBLE !
PLOUF !

LE XXIe SIÈCLE SERA MOINS CHAUD OU NE SERA PAS !
TRÈS SPIRITUEL !

ON VA LA REMORQUER AVANT QU'ELLE N'ÉCHOUE !...
ON A EU CHAUD !

La menace fantôme

MAI 1986
TCHERNO-BYL

7 MILLIRADS
180 BECQUERELS SEULEMENT !
5000 PICO-CURIES

ZZZ
GREEN-PEACE
DU POGNON, SINON JE FAIS TOUT PÉTER !
CENTRALE BULGARE

QUAND JE PENSE QU'ON VOULAIT ENVOYER NOS ENFANTS À VILLEURBANNE !
TCHERNOBYL
PLANTU

ALERTE !!

LE FOU !!
PCHHHT PCHHHT !!
PLANTU

TRICASTIN
PLANTU

OH ! EXCUSEZ-NOUS, ON CROYAIT QUE VOUS N'AVIEZ PAS VOTRE VIGNETTE !
Z
PLANTU

ÇA FAIT TROIS FOIS QU'ILS ME DEMANDENT SI J'AI DU... HIPS.. CANNABIS !
ZZZ

RIEN À SIGNALER !
TOUJOURS PAS D'ÉCOLOGISTES
À L'HORIZON !
EDF
EDF
PLANTU

COLONEL FABIEN
LE PROBLÈME EN FRANCE, C'EST QU'ON NE SAIT PLUS QUOI FAIRE DE NOS VIEILLES CENTRALES !

AVIS À LA POPULATION !
ON ANNONCE UN GÂCHIS POLLUANT
DE 60 MILLIARDS DE FRANCS !
RESTEZ CHEZ VOUS ET
PRÉPAREZ VOTRE
FEUILLE D'IMPÔT...
DANS LE
CALME !
SUPERPHÉNIX
EDF
PLANTU

AVRIL 1987
SUPERPHENIX :
FUITE DE
SODIUM
LIQUIDE.

PAS DE PANIQUE, JE VOUS DIS !!!

TOUT EST PRÉVU !! MÊME QUAND ON NE SAIT PAS D'OÙ VIENT LA FUITE !
GRAT GRAT
?
?

C'EST POURTANT SIMPLE :
LE COMBUSTIBLE DE SCHLINGOPOTASSIUM GALVANISÉ EST COINCÉ DANS UN BARILLET À NOUILLES MAGNÉTIQUES QUI LUI-MÊME EST BLOQUÉ À CAUSE DES FUITES D'HEXACROÛTE ÉPAISSE.
IL SUFFIT DONC DE MARGOUILLER DÉLICATEMENT ET DE CHIPOUNER LES 14 SMURNIFS À RAYONS AXIAUX ET C'EST DANS LA POCHE.
DES QUESTIONS ?...

CARIGNON
MADELIN
JE NE SUIS QUE LE MINISTRE DE L'ENVIRONNEMENT !.. VOYEZ AU GUICHET "INDUSTRIE" !
JE NE SUIS PAS LÀ !!

PLANTU

LE RHIN
LES POLLUEURS RECONNAISSANTS
PLANTU

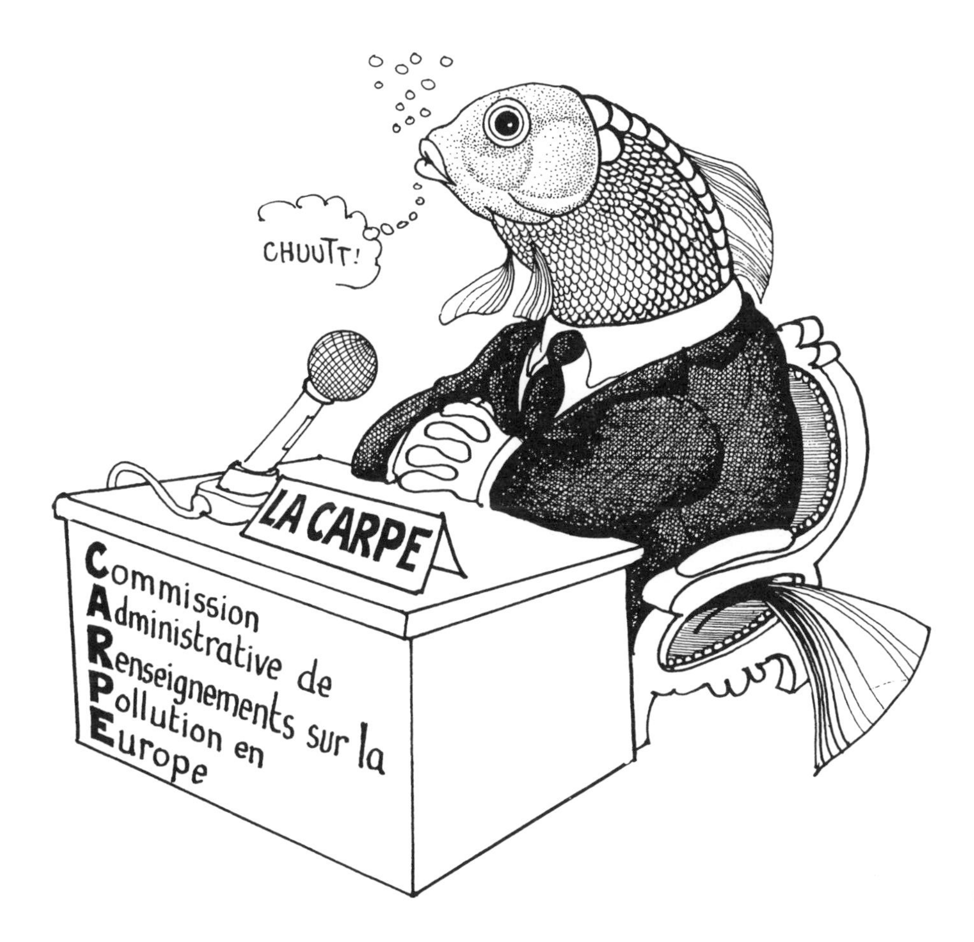
CHUUTT!
LA CARPE
Commission
Administrative de
Renseignements sur la
Pollution en
Europe

PLUTONIUM
JOURNALISTES FUMEURS
JOURNALISTES NON FUMEURS
PLANTU

MAI 1998
L'INDE ET LE PAKISTAN PROCÈDENT À DES ESSAIS NUCLÉAIRES.

UN PEU DE PLUTONIUM ?

UN PEU DE MASSACRES POUR LE 20 HEURES ?
INDE
PAKISTAN

ESSAIS NUCLÉAIRES
ON A U
TOUT PE
BUDGE
PLOUF !

USTRALIE
PLANTU

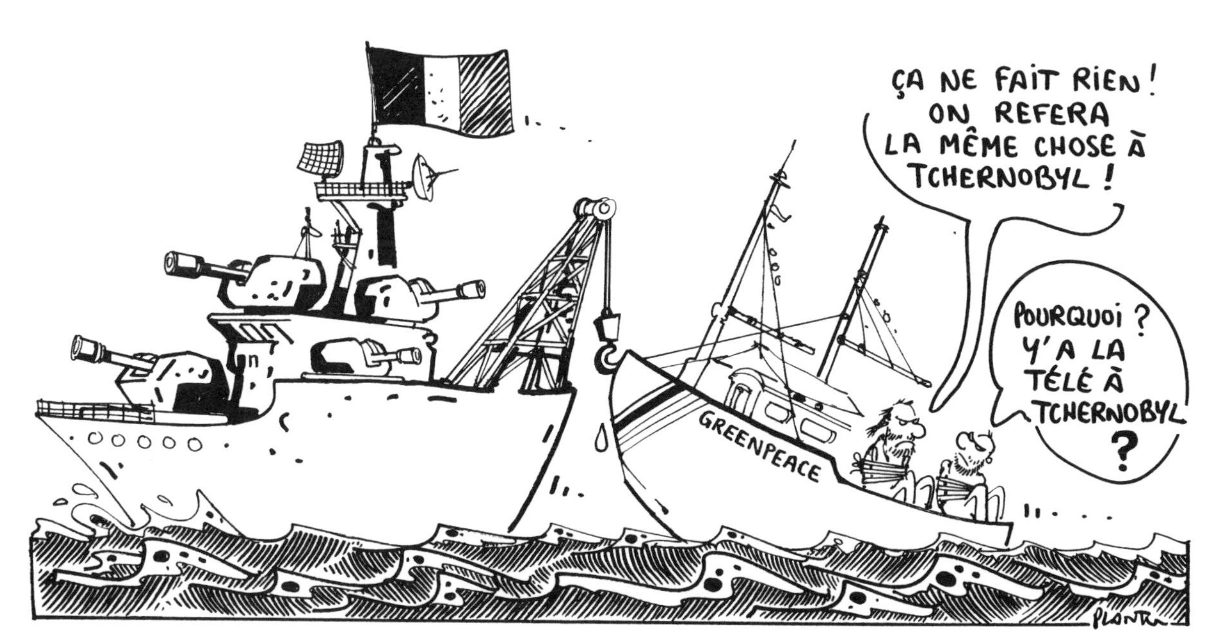
ÇA NE FAIT RIEN ! ON REFERA LA MÊME CHOSE À TCHERNOBYL !
POURQUOI ? Y'A LA TÉLÉ À TCHERNOBYL ?
GREENPEACE
PLANTU

SEPTEMBRE
1985
AFFAIRE
GREENPEACE
GREENPEACE

NOUVELLE-CALÉDONIE
BON ! ÇA, C'EST RÉGLÉ !
GREENPEACE

Le Monde

1985
LE RAINBOW-WARRIOR DE GREENPEACE EST COULÉ PAR DES HOMMES-GRENOUILLE

HUGUETTE BOUCHARDEAU MINISTRE DE L'ENVIRONNEMENT EXPRIME "TOUTE SA SYMPATHIE À L'ÉQUIPAGE DU RAINBOW-WARRIOR"
PLOUF !

JE CROIS QUE NOTRE LIBÉRATION A FAIT L'EFFET D'UNE BOMBE !

CHARLES HERNU MIS EN CAUSE.
GLOUPS

Gène de l'obésité
VOUS AVEZ ESSAYÉ MATIN ET SOIR DU "GREENPEACE EFFERVESCENT" ?
JE SUIS ALLERGIQUE !
PLANTU

VOUS ALLEZ VOIR, C'EST UNE ŒUVRE UN PEU ORIGINALE !
11 NOVEMBRE
À BAS LA GUERRE ! VIVE GREENPEACE !!

ON VOUS RASSURE TOUT DE SUITE : NOS BOMBES NE SONT PAS RADIOACTIVES !
GREENPEACE
PLANTU

JUILLET 1995
ATTENTATS À PARIS

C'EST BIEN CE QUE JE CRAIGNAIS : IL Y A UNE FISSURE !!!
OUI AU NUCLÉAIRE
NON AU NUCLÉAIRE

ALORS, VOUS ME RASEZ TOUT ÇA, ET VOUS FAITES POUSSER DES TOMATES !
ET QUE ÇA SAUTE !!
IL PLAISANTE ! IL PLAISANTE !
MINISTRE DE L'ENVIRONNEMENT
PLANTU

ALLEMAGNE octobre 1998
3 DES 15 MINISTÈRES ATTRIBUÉS AUX VERTS

Des verts pluriels

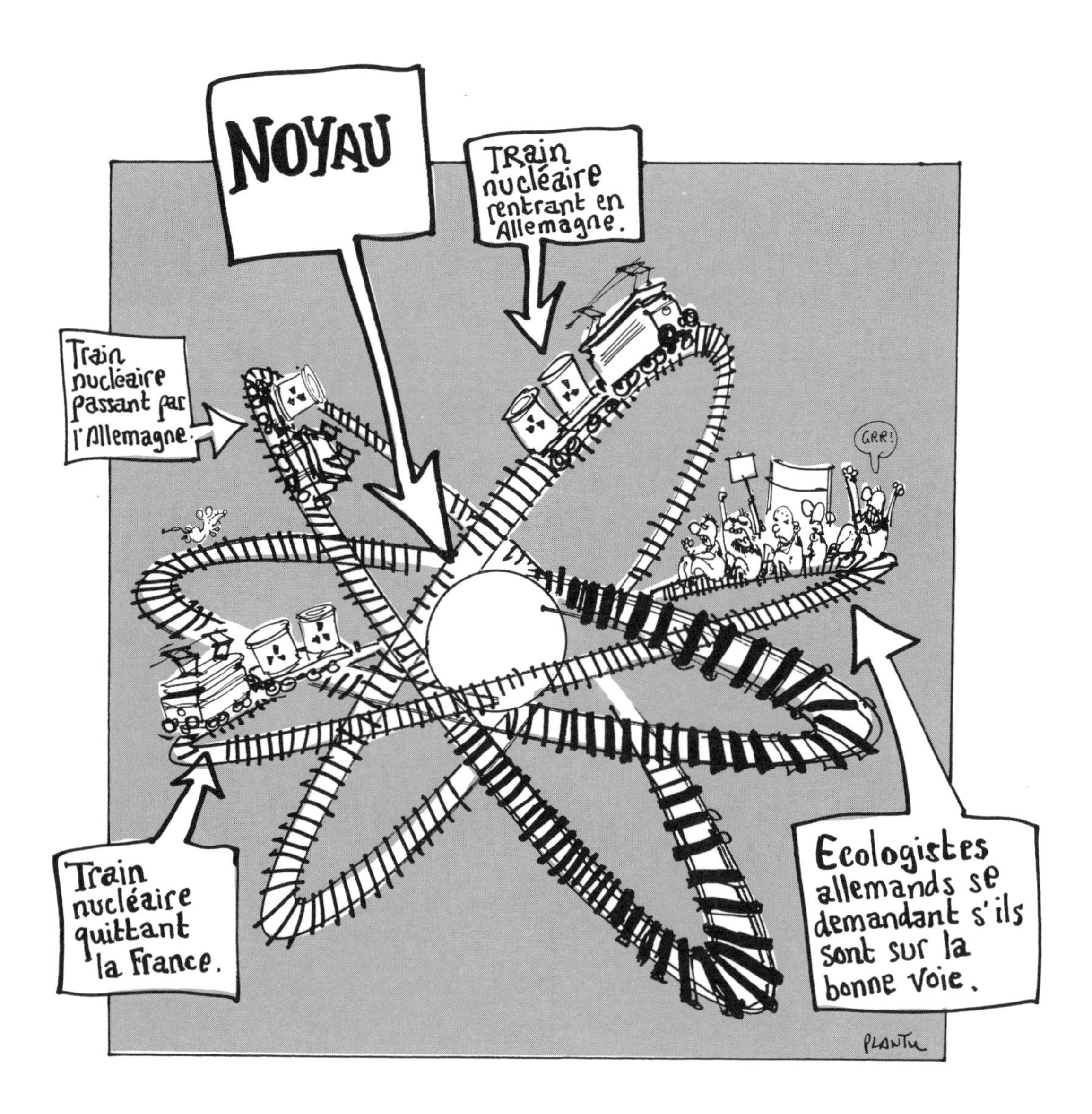
NOYAU
Train nucléaire rentrant en Allemagne.
Train nucléaire passant par l'Allemagne.
GRR!
Train nucléaire quittant la France.
Ecologistes allemands se demandant s'ils sont sur la bonne voie.
PLANTU

VOUS NE DEVRIEZ PAS IMPOSER VOS IDÉES POLITIQUES À VOS ENFANTS !
J'AI SOIF !
NON AU NUCLÉAIRE
NON AU NUCLÉAIRE
NON AU NUCLÉAIRE
NON AU NUCLÉAIRE
NON AU NUCLÉAIRE
buvez PARD
buvez RIPARD
buvez RIPARD
buvez RIPARD
buvez RIPARD
buvez PARD
PLANTU

QUOI ? LA POTERIE, LA VANNERIE, LE BINIOU AUTHENTIQUE, ÇA NE T'INTÉRESSE PAS ?
ESSAYE DE COMPRENDRE PAPA !
PLANTU

1988 ÉLECTION PRÉSIDENDIELLE WAECHTER 3,78%
3,78% ??!!....
J'AI PEUR !

JUIN 1988
BRICE LALONDE SECRÉTAIRE D'ÉTAT À L'ENVIRONNEMENT

À MURUROA, CE QUI M'INQUIÈTE, C'EST QUE J'Y AI VU DES VOITURES QUI N'ÉTAIENT PAS ÉQUIPÉES DE POTS CATALYTIQUES !
BOOOM
SECRÉTAIRE D'ÉTAT À L'ENVIRONNEMENT
PLANTU

Y'A UN MONSIEUR QUI N'ARRÊTE PAS DE ME SUIVRE !!
ET ALORS ?
VERTS

MARS 1989
ÉLECTIONS MUNICIPALES

ET NOUS AVONS PRIS LA COURAGEUSE DÉCISION D'ÉQUIPER LES URNES DE POTS CATALYTIQUES !
?
J'♡ LES ÉCOLOS!

ÉCOLOGISTES
14 %
MARS 1992
Antoine WAECHTER : 6,8 %
Brice LALONDE 7,2 %

SI JE COMPRENDS BIEN, JE PEUX COMPTER SUR VOS VOIX !
BIEN SÛR !
... QUE NON !

MAIS ENFIN, MONSIEUR, JE NE VOUS CONNAIS PAS !

bioéthique
ON EST BIEN D'ACCORD, BANDE DE MALADES !... CERTAINS DONS D'ORGANES SONT INTERDITS !
FN

NOUS SUPPRIMERONS LES CENTRALES NUCLÉAIRES ET LES INSTITUTS DE SONDAGES !
PROGRAMME ÉCOLO

1993
LES SONDAGES PRONOSTIQUENT PAR ERREUR PLUSIEURS DÉPUTÉS VERTS ÉLUS.

Le dicton des campagnes
" À LA SAINT-ANTOINE : LA CENTRALE EN PANNE. À LA SAINT-ÉDOUARD : LA CENTRALE REPART ! "
VERT
PLANTU

1993
ÉDOUARD BALLADUR AUTORISE LE REDÉMARRAGE DE SUPERPHÉNIX

1979
WAECHTER
CANDIDAT
AUX
EUROPÉ-
-ENNES

1984
WAECHTER
MEMBRE
COFONDATEUR
DU PARTI DES VERTS

TU TE RENDS COMPTE,
IL EST NOTRE LEADER
DEPUIS PLUS DE 2 ANS,
ET IL N'A
NI REJOINT LE PS
NI RETOURNÉ SA VESTE !!??
C'EST LOUCHE !

1994
WAECHTER pdt
DU MOUVEMENT
ÉCOLOGISTE
INDÉPENDANT
LES VERTS

1999
ÉLECTIONS
EUROPÉENNES
1,53%

Z
2001
WAECHTER
CANDIDAT

LOBBY
PRO-NUCLÉAIRE
UN LOBBY ? OÙ ÇA ?
MINISTRE DE L'ENVIRONNEMENT

1995
CORINNE LEPAGE MINISTRE DE L'ENVIRONNEMENT

ÉCOLE
ÇA SE FUME ?
À PEINE !
COLZA
BIO-MOTEUR
PLANTU

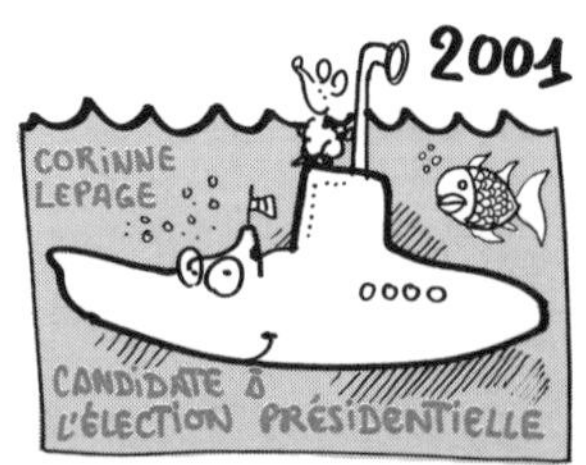
2001
CORINNE LEPAGE
CANDIDATE À L'ÉLECTION PRÉSIDENTIELLE

NOVEMBRE
1998
LA JOURNÉE SANS VOITURE
JE MARCHE !
PLANTU

1997
DOMINIQUE VOYNET MINISTRE DE L'AMÉNAGEMENT DU TERRITOIRE ET DE L'ENVIRONNEMENT

HMM ! HMM !
HMM ! HMM !

PAS TERRIBLE, L'ÉNERGIE SOLAIRE AUJOURD'HUI !
IL ME CHERCHE OU QUOI ?
VOYNET
PLANTU

IL N'EST PAS NON PLUS PRÉVU DE VERTS DANS NOTRE REMANIEMENT!
VOYNET
FRAMATOME

Vol de députés socialistes se risquant dans la baie de Somme

IL EST INTERDIT D'INTERDIRE LE NUCLÉAIRE !...
ET LA CHASSE !
PLANTU

Février 99
DANIEL COHN-BENDIT CHEF DE FILE DES ÉCOLOGISTES AUX ÉLECTIONS EUROPÉENNES

JUIN 1999
ÉLECTIONS EUROPÉENNES
Daniel COHN-BENDIT
9,72 %

Essuyage de crampons
TAXE
GAZOLE
GAZOLE
PLANTU

PARDONNEZ-MOI CAR J'AI BEAUCOUP POLLUÉ !
BON !... VOUS ME RÉCITEREZ TROIS "JE VOUS SALUE, LIONEL" ET ON N'EN PARLE PLUS !
MINISTÈRE de L'ENVIRONNEMENT
PLANTU

JANVIER 2000
LE GOUVERNEMENT PRÉVOIT LA CRÉATION D'UNE ÉCOTAXE.

Je me souviens
EN 68, J'AI FUMÉ UN JOINT !
EN 97, J'AI CONDUIT UN DIESEL !
OH ! PÉTARD !
CONSEIL DES MINISTRES
PLANTU

AMÉNAGEMENT DU TERRITOIRE
HUMM ! HUMM !
JE SAVAIS BIEN QU'IL FINIRAIT PAR LUI DEMANDER SES PAPIERS !!

LES VERTS NE VONT JAMAIS AVALER ÇA !
OH !...
ILS DIGÈRENT
DÉJÀ TRÈS BIEN
LES COULEUVRES !
OGM
ARGH !

JANVIER 2000
BRUXELLES PROPOSE DE LÉGALISER LES CULTURES TRANSGÉNIQUES.

JUIN 2001
ALAIN LIPIETZ CANDIDAT OFFICIEL DES VERTS POUR LA PRÉSIDENTIELLE

IL N'Y A PAS QUE LE PASSÉ DANS LA VIE!... IL Y A AUSSI LE PRÉSENT!
BOURSE
LIPIETZ
FLNC
CROISSANCE
C'EST BIEN LE PROBLÈME!

Ben Oui!!... J'ai demandé une amnistie pour Ben Laden! J'ai encore gaffé?
LIPIETZ

AOÛT 2001
ALAIN LIPIETZ DEMANDE L'AMNISTIE POUR LES TERRORISTES CORSES.

MAINTENANT QU'ON EST POTES, TU VAS NOUS AIDER À DÉTRUIRE CE CHAMP POLLUÉ !!
FLNC
LIPIETZ

14 OCTOBRE 2001
ALAIN LIPIETZ N'EST PLUS LE CANDIDAT DES VERTS

« irrévocable ! »

CHIRAC, C'EST RIEN QU'UN ENCULÉ !
NOËL TU NE PEUX PAS PARLER COMME ÇA !
TOI, JE T'EMMERDE !
VERTS

Moi j'vous l'dis: Chirac, c'est magouille et compagnie !
JUIN 1994
ÉLECTIONS EUROPÉENNES
TAPIE - MAMÈRE
MAMÈRE

Index

Photogravure : IGS-CP – 16340 L'Isle-d'Espagnac (Angoulême)
Impression : Mame – 37000 Tours
Dépôt légal : février 2002. N° 52409 (01112009)